EL BARCO
DE VAPOR

El jajilé azul

Ursula Wölfel

Ilustraciones de Dani Padrón

LITERATURA**SM**•COM

Primera edición: febrero de 1998
Cuadragésima sexta edición: agosto de 2016

Gerencia editorial: Gabriel Brandariz
Coordinación editorial: Carolina Pérez
Coordinación gráfica: Lara Peces

Título original: *Das blaue Wagilö*
Traducción del alemán: Carmen Bas

© Hoch-Verlag, Düsseldorf, 1969
© de las ilustraciones: Dani Padrón, 2015
© Ediciones SM, 2015
    Impresores, 2
    Parque Empresarial Prado del Espino
    28660 Boadilla del Monte (Madrid)
    www.grupo-sm.com

ATENCIÓN AL CLIENTE
Tel.: 902 121 323 / 912 080 403
e-mail: clientes@grupo-sm.com

ISBN: 978-84-675-7689-4
Depósito legal: M-24017-2014
Impreso en la UE / *Printed in EU*

En África,
en un inmenso y oscuro bosque,
viven unos jabalíes grises.
Con el hocico escarban en la tierra
en busca de raíces o ricas setas.

Por la noche
duermen en un lodazal
grande y negro.
Por la mañana corren al lago
y beben agua.

Uno de estos jabalíes
está siempre solo,
escarbando en la tierra.
No le gustan los demás jabalíes.
    Piensa:
«¡Qué feísimos son todos!
Tan grises y tan gordos,
con esos hocicos en la cara».

Pero ese jabalí no sabe
que él es igual que los demás:
gordo y gris como todos los jabalíes.
Grita cuando los demás se acercan a él
y los amenaza con sus largos colmillos.
Quiere que todas las raíces,
todas las setas del bosque
sean solo para él.
Duerme solo
en un pequeño charco de fango.

Por la mañana,
cuando los demás todavía roncan
en el lodazal grande y negro,
él corre solitario hasta el lago.
No quiere beber agua con los demás.
Quiere el lago para él solo.
  Pero un día,
el lago está tan claro y tranquilo
que el jabalí se refleja en el agua.
¡Y se ve por primera vez a sí mismo!
Ve que es igual que los demás:
gordo y gris como todos los jabalíes.
¡Y tiene un enorme hocico en la cara!

Al principio se asusta.
Luego grita y patalea en el suelo
con furia y rabia.
Y todos los pájaros
salen volando de sus nidos.
Después se queda triste,
y dos grandes lágrimas
le brotan de los ojos.

En el agua nadan
bonitos peces de colores.
El más grande es tan azul
como una piedra preciosa.
    Entonces, el jabalí piensa:
«¡Qué bonito es!
Y yo soy gris y feo por todas partes.
Me gustaría ser tan azul como ese pez».

Vuelve corriendo
a su pequeño charco de fango negro.
No quiere comer nada en todo el día.
Solo piensa en el pez azul.
Muy triste, se queda dormido.

Y por la mañana,
cuando se despierta,
¡se ha vuelto azul, muy azul,
tan azul como aquel bonito pez grande!
El jabalí está muy contento y orgulloso.
Corre lo más deprisa que puede.
¡Los demás animales tienen que ver
lo bonito que el jabalí se ha vuelto!

Enseguida se encuentra con las jirafas.
En aquel momento están comiendo
hojas de los árboles.
Tienen la cabeza tan alta
que ni siquiera ven
al jabalí que está en el suelo.
El jabalí chilla,
gruñe y patalea.
Pero las jirafas siguen comiendo.

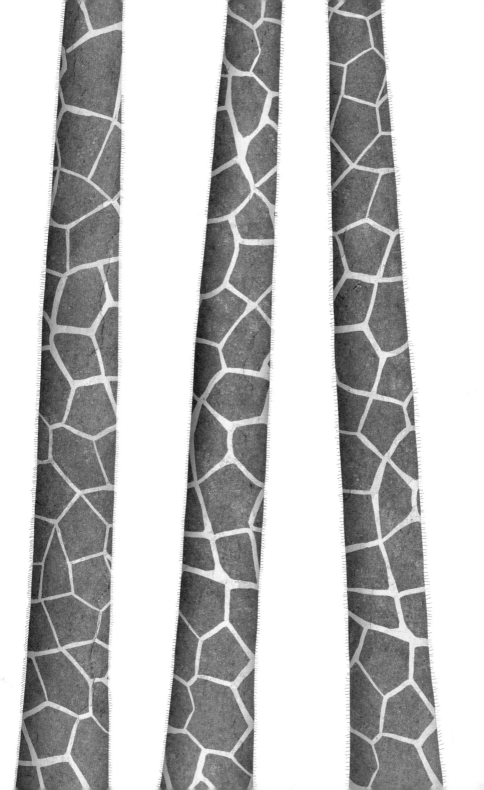

Entonces, el jabalí piensa:
«¡Qué bonitas son las jirafas,
con sus largos y esbeltos cuellos!
Y yo todo lo tengo corto y gordo.
Me gustaría tener el cuello así de largo».

Regresa corriendo
a su pequeño charco de fango negro.
Se pasa todo el día pensando en las jirafas.
Luego, se queda dormido.

Y por la mañana,
cuando se despierta,
¡tiene un cuello largo,
un cuello como el de las jirafas!

El jabalí está
muy contento y orgulloso.
Corre lo más deprisa que puede.
¡Los demás animales tienen que ver
lo bonito que el jabalí se ha vuelto!

Un león acecha
entre las altas hierbas,
y su melena resplandece al sol.
El jabalí se asusta y sale corriendo.
    Piensa:
«¡Qué bonito y fuerte es el león!
¡Qué aspecto tan grandioso
tiene con esa melena!
Y yo estoy desnudo y apenas tengo pelo.
Me gustaría tener una melena
como la del león».

Regresa corriendo
a su pequeño charco de fango negro.
Se pasa todo el día pensando en el león.
Luego, se queda dormido.

Y por la mañana,
cuando se despierta,
¡tiene una melena de león!
El jabalí está muy contento y orgulloso.
Corre lo más deprisa que puede.
Va a buscar a todos los animales
que están en el río y por la selva.
¡Que por fin vean lo bonito
que el jabalí se ha vuelto!

Pero al verlo,
todos los animales salen corriendo:
se asustan de su melena de león.

Los monos chillan.
El rinoceronte gruñe.
El cocodrilo golpea furioso con la cola.
Todos los papagayos gritan con fuerza:
   –¿Qué animal eres? Dinos tu nombre.
¿Qué animal eres? Dinos tu nombre.

¿Qué debe decir el jabalí?

Piensa:

«Con este color azul tan maravilloso,
con este cuello tan largo y esta melena,
ya no soy un jabalí.

Ahora tendré un nombre nuevo».

Regresa corriendo
a su pequeño charco de fango negro.
Se pasa todo el día
pensando en su nuevo nombre.
Pero de tanto pensar, le entra sueño.
Enseguida se queda dormido.

Y por la mañana,
cuando se despierta,
¡todavía no sabe cómo se llama!
Se avergüenza de no tener nombre.
    Piensa:
«Los demás animales se van a reír.
¡Me voy a ir lejos de aquí!
Me voy a ir con las personas.
Las personas son listas.
Seguro que saben
qué animal soy ahora».

Se pone en camino hacia la ciudad.
Pasa por los campos de arbustos
y por los campos de hierbas.
Donde se acaba la hierba está el desierto.

El desierto es muy grande y está vacío.
Solo hay arena y piedras,
solo crecen cardos y cactus,
no hay raíces ni ricas setas.
Tampoco hay ningún fresco charco
de fango negro ni ningún lago con agua,
solo desierto.

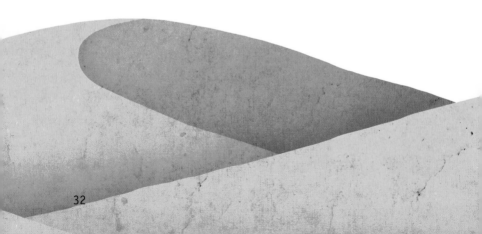

El sol quema,
la arena está tan caliente como el fuego.
El jabalí azul apenas puede ya andar.

Entonces pasa un avestruz
corriendo delante de él.
Enseguida, el jabalí piensa:
«¡Qué bonito es!
Qué deprisa corre el avestruz.
Y yo, con estas patas tan cortas,
me quedo aquí, atrapado en la arena.
Me gustaría tener las patas así de largas».
Se tumba en un hoyo
en la arena caliente del desierto
y enseguida se queda dormido.

Y por la mañana,
cuando se despierta,
¡tiene las patas largas,
tiene unas patas
como las del avestruz!
El jabalí está otra vez
muy contento y orgulloso.
Sale corriendo
y enseguida llega a la ciudad.

Toda la gente corre por la calle.
Nunca han visto un animal como ese.
Y uno grita:
   —¡Es un jabalí! Seguro:
tiene hocico en la cara.

El jabalí chilla de rabia
y le lanza un golpe.

Otro grita:

–¡No, mirad ese cuello tan largo!
Ese animal tiene cuello de jirafa.

El animal gruñe y sacude la cabeza.
Quiere tener un nombre nuevo.

Y otro grita:

–¡Es un león!

Y mucha gente sale corriendo
porque tiene miedo.

Una niña vestida de rojo grita:
–¡Un ja-ji-lé, es un jajilé azul!
Y todos los demás gritan:
–¡Sí, un jajilé!
Entonces, el animal se ríe.
Estira su largo cuello.
Sacude su vistosa melena de león.
Levanta las largas patas de avestruz.
Brinca, salta y baila.
¡Está tan contento!

Todos aplauden,
y los niños gritan:
−¡Bien! ¡Bien!

El jajilé baila todo el día.
Está muy contento
de tener un nombre nuevo.
Y por la noche se echa
en el centro de la calle.
Pronto se queda dormido
porque está muy cansado.
Duerme profundamente.

Por la mañana,
cuando se despierta,
¡el pobre jajilé está en una jaula!
Los hombres lo han encerrado,
lo han capturado mientras dormía.

En la jaula
hay un letrero con su nombre.
Le han puesto agua
y un trozo de carne,
y zanahorias y ensalada.
Pero el jajilé no quiere comer
nada de eso.

La gente lo mira
desde fuera de la jaula,
y también está allí
la niña del vestido rojo.
Quieren que el animal baile.
¿Por qué no baila?
Los niños gritan:
      –¡Querido jajilé!
¡Anda, bonito animal azul,
baila un poco!

¿Cómo va a bailar
en una jaula tan estrecha?
¿Cómo va a bailar
si está muy triste?
El jajilé se sienta
en un rincón de la jaula.
Mira a los pájaros
que vuelan por el cielo.
Piensa:
«¡Qué bonitos
y qué bien vuelan en libertad!
Y yo tengo que estar aquí,
en esta jaula tan estrecha.
Me gustaría tener alas,
como los pájaros».

Se pasa todo el día
pensando en los pájaros.
No come ni bebe.
Tampoco baila.
Luego, se queda dormido.

Y por la mañana,
cuando se despierta,
¡tiene unas grandes alas azules!
¡El jajilé puede volar!
    ¡Está feliz!
Con sus largos colmillos,
pincha la carne
y las ricas zanahorias
y la ensalada.

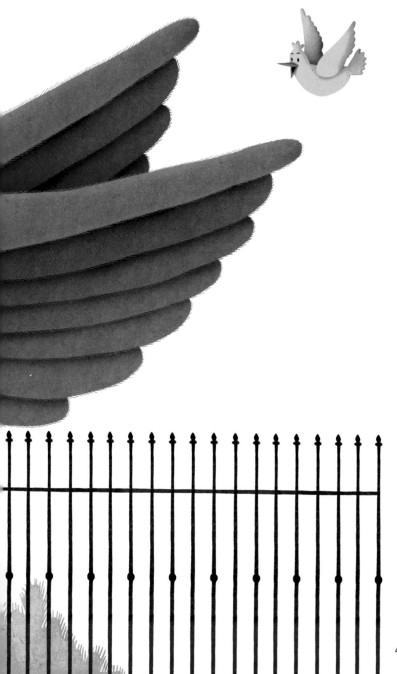

Luego,
coge el cacharro del agua
con la boca
y sale volando
de su estrecha jaula.

En el jardín
de la niña del vestido rojo
deja caer dos grandes plumas azules,
una de cada una
de sus bonitas alas nuevas.
Quiere darle las gracias
por el nombre.
La niña ve las plumas en el camino
y se las pone en el pelo.
Está muy contenta.

El jajilé sigue volando
hasta el desierto
y al avestruz le regala
el cacharro del agua.
El avestruz salta de alegría
por la arena.
¡Ahora ya puede recoger
el rocío y las gotas de lluvia!

El jajilé sigue volando,
cada vez más lejos.
Al pasar por encima de los leones,
deja caer la carne sobre ellos.
    –¡Gracias! –ruge el león,
y mueve la cola.

El jajilé sigue volando,
cada vez más lejos.
Por la tarde llega
adonde están las jirafas.
Les deja la ensalada en un árbol.
¡Las jirafas nunca han comido
unas hojas tan ricas!
Todas están muy contentas.
Saludan al jajilé azul
con sus largos y esbeltos cuellos.

El jajilé se pasa el día volando.
Solo piensa en el inmenso bosque.
Está muy cansado,
pero vuela y vuela
durante toda la noche.

Y por la mañana,
cuando amanece,
llega de nuevo a su bosque.
Deja caer las zanahorias
en el gran lodazal negro.
Los jabalíes se sorprenden
de que, de pronto,
caigan zanahorias de los árboles.
Chillan y se relamen de gusto.

El jajilé los mira y piensa:
«¡Qué alegres son estos jabalíes!
¡Qué contentos se reparten las zanahorias!
Y yo estoy solo.
Seguro que no existe
en todo el bosque ni en todo el mundo
otro jajilé azul, solo yo.
Y nunca, nunca más, pobre de mí,
podré dormir en un charco de fango
negro y caliente.
No podré hacerlo
con estas alas tan grandes,
y esta melena,
y este cuello tan largo».

Muy triste,
se posa sobre un árbol
y llora porque ya no es un jabalí.
Luego, se queda dormido.

Y por la mañana,
cuando amanece,
¡el jajilé es un jabalí!
¡De nuevo está tan gris y gordo
como antes!
Grita de alegría
y despierta a los demás jabalíes.
Estos se alegran mucho
de ver de nuevo
al jabalí del pequeño charco
de fango negro.

Enseguida corren
todos juntos hacia el lago.
Luego, escarban juntos en la tierra.
Y por la noche
se echan todos juntos a dormir
en el gran lodazal negro.

Entonces, el jabalí,
que ya no es un jajilé azul, piensa:
«No es cierto
que todos los jabalíes sean iguales:
gordos y grises.
¡Qué tonto he sido!
Uno tiene un ricito detrás de la oreja;
otro tiene el rabo fino como un pincel;
otro escarba mejor que ninguno;
otro chilla más fuerte que los demás;
otro corre más deprisa que nosotros;
otro gruñe mejor.
¿Y yo? ¡Yo sé bailar!».
    Y baila de alegría
a la luz de la luna,
alrededor del gran lodazal negro.
¡Y los demás jabalíes
bailan con él!

TE CUENTO QUE DANI PADRÓN…

… de pequeño, no solía estar satisfecho con sus juguetes. Le gustaban mucho al principio, pero siempre llegaba un momento en el que algo no le convencía. Le parecía aburrido que los muñecos no pudiesen cambiar de ropa, o que tuviesen que tener siempre el mismo corte de pelo o la misma expresión en la cara. Por eso se encargaba de transformarlos. Unas veces con pegatinas, otras con rotuladores. O con tijeras. Lo malo es que, tarde o temprano, siempre llegaba el momento en el que decidía que había que cambiarlos de nuevo. Y era capaz de quitar pegatinas o borrar lo que había pintado, pero no era tan sencillo deshacer los cambios cuando los había hecho con las tijeras.

Dani Padrón nació en Ourense. Comenzó su trayectoria como ilustrador infantil en 2011, cuando ganó el premio Pura e Dora Vázquez de Ourense en la modalidad de ilustración, y desde entonces ha publicado más de veinte álbumes.

Si quieres saber más sobre Dani Padrón, visita su blog:

www.daniipadron.blogspot.com.es

TE CUENTO QUE URSULA WÖLFEL...

... al igual que el jajilé azul, consigue que sus deseos se hagan realidad. Eso sí, con mucho trabajo y entusiasmo por su parte, ya que Ursula tuvo que hacer frente a la dura realidad de la Segunda Guerra Mundial, que dificultó su juventud. A pesar de ello, fue capaz de salir adelante y dedicarse a lo que siempre había soñado: escribir. Ursula nos regala historias en las que nos contagia la ilusión de vivir y soñar con mundos en los que todo es posible, ¡hasta ser tres animales en uno!

Ursula Wölfel (Duisburg, Alemania, 1922-2014) estudió Filología Alemana, Pedagogía e Historia. Trabajó como maestra y pedagoga. Desde que se dedicó por completo a la escritura infantil y juvenil recibió varios premios, entre los que destacan el Premio Alemán de Literatura Juvenil en 1962 y 1991. Su obra ha sido traducida a quince idiomas, entre los que se cuentan el español y el euskera.

Si te ha gustado
este libro, visita

LITERATURA**SM**•COM

Allí encontrarás:

- Un montón de libros.
- Juegos, descargables y vídeos.
- Concursos, sorteos y propuestas de eventos.

¡Y mucho más!

Para padres y profesores

- Noticias de actualidad, redes sociales
  y suscripción al boletín.
- Propuestas de animación a la lectura.
- Fichas de recursos didácticos y actividades.

Un jabalí gordo y gris quiere ser distinto de como es y sus deseos se convierten en realidad. Adquiere el color azul de un **pez**, la melena del **león**, el cuello de la **jirafa**... Pero ahora, **¿qué animal es?** ¿Quién sabe cómo se llama?

Alto, bajo, gordo, flaco, verde, naranja o azul... **No importa cómo seas, siempre y cuando seas tú.**

159978

ISBN 978-84-675-7689-4

INCLUSIÓN   AMISTAD   NATURALEZA